보험료비교컨설팅
사용설명서

자산관리의 첫 걸음은
보험료 지출의
최적화다

자산관리의 첫 걸음은
보험료 지출의
최적화다

목 차

안녕하세요. 한국파이낸셜에듀㈜ 배승현 대표입니다.

저희 프로그램을 사용하시는 분들께 진심 어린 마음의 편지로 첫 페이지를 엽니다. 오프라인 강의에서 보셨던, 그리고 보내 드렸던 RP 영상에서 보셨던 그 내용의 스크립트이니 "그냥 보고 참고하면 될 일인데 뭐 이렇게 편지까지~~~"라고 생각하실 수도 있습니다. 하지만 꼭 읽어 주시기를 당부드립니다.

어떤 물건이건 그 물건을 만든 사람의 의도와 용도대로 사용할 때 그 효용은 가장 커집니다.

보험료 비교 프로그램은 보험료를 비교하라고 만든 프로그램이 아닌데 딱 생긴 게 보험료 비교입니다. 그래서 문제입니다. 개발자의 의도를 귀담아 듣고 이해하신 분은 그걸로 보험료 비교를 하지 않고, 흘려 들으신 분은 열심히 보험료 비교만 하고 다닙니다.

똑같은 무기를 손에 들고 있는데, 누구는 소득을 2배 이상 상승시키고, 누구는 주머니에 넣고만 다니는 형국입니다.

가끔씩 사용자분들과 통화를 하게 될 때면 의도대로 잘 사용하고 계신 분들의 사례들을 말씀드립니다. 그러면 대부분 "저도 그렇게 되면 얼마나 좋을까요. 도대체 그분들은 어떻게 하시는 거예요?"라고 물으십니다.

그러면 제가 묻죠. "제가 보내 드린 RP 영상은 보셨어요?", "그대로 하고 계세요?", "프로그램을 사무실에서 주로 쓰세요? 고객 앞에서 퍼포먼스로 쓰세요?"

대답은 거의 같습니다. "바빠서 아직 제대로 못 봤어요.", "아직 익숙하지 못해서 주로 사무실에서만 쓰고 있어요."

죄송하지만 바쁘시다는 건 핑계입니다. 소득을 당장 다음 달부터 2배로 올릴 수 있고, 알려드린 대로만 해서 그렇게 성과를 올리고 계신 분들이 많은데, 바빠서 손안의 영상 하나를 제대로 보지 못하셨다고요? 그 어려운 온갖 교육은 적지 않은 돈까지 내며, 일부러 시간도 내 멀리까지 쫓아다니시면서 정작 앉은 자리에서 스마트폰으로 보실 수 있는 영상 하나를 아직 제대로 보지 못하셨다고요?

그 어떤 교육이 여러분의 소득을 당장 이번 달부터 2배로 올려드리고, 소개가 감당하지 못할 정도로 쏟아지게 할 수 있나요? 또한 여러분이 시도하시는 그 다른 방법이 그냥 그대로만 하면 "누구나" 다 되는 일이던가요?

어떤 경로로 저희 프로그램을 알게 되셨건 여러분은 드디어 제대로 된 무기를 손에 쥐게 되셨습니다. 그런데 정작 애써 찾아 무기를 갖게 되셨는데 찾아낸 무기를 잘 쓸 생각은 않고, 또 다른 무기를 찾아다니고 있지는 않으신가요? 그렇다면 또 다른 무기를 찾아낸들 뭐 하겠습니까? 주머니에 넣기만 하고 또 다른 걸 찾아 헤매실 건데요.

저도 보험업에 들어와 21년째입니다. 성공한 사람들은 분명히 있고, 그들만의 방법이 있고, 사람들은 그들만의 방법을 들으려 애씁니다. 하지만 그게 누구나 다 그렇게만 따라 하면 되는 일이던가요?

하지만 제가 알려드린 방법은 10년, 20년 된 설계사도, 이게 막 보험 일을 시작한 신입 설계사도 누구나 시키는 대로만 하면 되는 방법입니다. 왜 되는 방법을 이미 손에 쥐고만 계시나요?

가끔씩 사용자분들과 통화할 때 너무 답답한 마음이 들어 이렇게 스크립트까지 만들어서 제공해 드리지만 그냥 스크립트만 드리면 그 또한 쓰지도 않을 물건을 주머니에 하나 더 넣어드리는 것 같아 진심 어린 잔소리를 드립니다.

잔소리는 내 편이 되어야만 하는 겁니다. 내 편이 아니라면 굳이 잔소리를 할 필요가 없겠죠.

저희 프로그램을 사용하는 여러분은 이제 '내 편'입니다. 이왕 저와 인연이 되신 분들은 정말 잘 되셨으면 하는 바람으로 이 일을 하고 있습니다. 제 조언이나 도움이 필요하시면 언제든 연락 주세요. 여러분이 저희 프로그램으로 성공하실 수 있도록 힘껏 돕겠습니다.

장문의 잔소리를 끝까지 잘 읽어 주셔서 진심으로 감사드리고, 제 마음이 전달되었기를 바랍니다.

한국파이낸셜에듀㈜ 대표 배승현

1. 활용법 가이드

당신은 이미 현재의 소득을 2배 이상 상승시킬 수 있는 방법을 갖고 있습니다. 언제까지 찾아 다니기만 할 건가요?

<u>누군가</u>는 이 엄청난 무기로 열심히 고객에게 보험료만 비교해 드리고,

<u>누군가</u>는 엄청난 업적 상승과 더불어 넘쳐나는 소개로 가망고객에 대한 고민에서 완전히 벗어나 행복한 영업을 하고 있습니다.

RP 대로만 그대로 따라 하시면 업적은 무조건 올라갑니다.

의심하지 마시고 따라 하세요.

누구나 할 수 있습니다.

원래 하던 상담 중, 언제 이 RP를 할 것인지 고민하지 마시고 **어떤 상담을 하건 <u>맨 처음에</u>** 이 RP부터 하고 상담을 시작하세요.

자동차보험 또는 화재보험 등 장기보험과 상관없는 상담을 하게 되더라도 이 RP부터 하면 **장기보험 리모델링** 상담을 하게 됩니다.

꼭 전체 RP를 순서대로 모두 해야 한다는 부담을 갖지 마시고, 아래 Case 별로 주어진 시간에 맞춰서 진행하세요.

단, 각 RP마다 명확한 목적이 있습니다. **목적에 충실한 RP**를 하세요.

■ 시간 제약을 받지 않는 경우 (Full RP) ▶ 1~8차 (20분)
■ 주어진 시간이 5분 미만인 경우 (Short RP) ▶ 9차 (2분)
* 모든 경우, 소개 요청 RP(6차)는 필수입니다.

----

2. 당부 말씀

모든 사용자분들을 1:1로 밀착 코칭 해 드릴 수 없어 스크립트에 최대한 많은 내용을 상세하게 실었습니다. 정말 부탁드립니다. 스크립트를 대충대충 읽고 넘어가지 마시고 **"글을 쓴 사람이 어떤 의도로 이 말을 했을까?"** 행간의 의미를 생각하면서 읽어 주세요.

이 스크립트는 정말 오랜 시간 동안 숙고하고 또 숙고하고 수없이 다듬어진 것입니다. 잠깐의 생각만으로 스크립트를 어설프게 바꾸지 마시고, **원문 그대로 암기해서 적용해 주세요.**
완전히 익숙해진 후에 자기 스타일로 바꾸셔도 늦지 않습니다.

특히 **빨간색으로 표시된 부분**은 절대 표현을 바꾸지 마시고 그대로 쓰라는 의미입니다.

RP를 ①잘 하지 못해도, ②틀려도, ③빼먹어도, ④실수로 순서가 바뀌어도 **나만 압니다. 고객은 모릅니다.**
미루지 마시고, **3일 이내**에 실전에 적용하세요.

나의 말이 아니기 때문에 처음에는 외우는 것이 쉽지 않게 느껴질 수 있습니다. 이 RP로 성공하신 분들의 공통적인 경험은 처음 RP는 대부분 망쳤고, 그렇게 **실전에서 10번 정도** 하면 입에 붙는다는 것입니다.

그렇게 꾸준히 하시면 당신의 말로, 당신의 RP를 하고 있을 겁니다.

BoBi로 RP를 해서 소득이 조금 오르고, 계약 체결이 조금 더 잘된다고 만족하지 마세요. BoBi를 사용하시고 소득은 **2배** 이상 올라야 합니다. 소득이 아직 2배 이상 오르지 않았다면, RP가 아직 완성되지 않은 것입니다. 쓸데없는 일에 자꾸 힘 빼지 마시고, 제발 될 일에 집중해 주세요. 20분짜리 RP 하나만 잘 하면 되는데 현실적으로 이것보다 더 쉬운 일이 뭐가 있겠습니까? 정말 많은 사용자들이 이미 그 효과를 경험하고 있습니다. 원래 잘난 사람들이 아니라, 너무나 평범한 분들이, 심지어는 보험 일을 그만 둘까 고민하셨던 분들까지…

이 영업 방법은 한 번만 제대로 배우고 익히시면 평생 먹고 삽니다. 모든 보험사의, 모든 보험상품의, 모든 담보의 보험료가 같아지지 않는 한, 이 RP는 유효합니다. 한 번만 훈련의 과정을 거치고 나면 평생이 편안해집니다. 아침조회 시간에 교육 몇 번 받았다고 여러분의 영업이 딱히 달라지지 않습니다. 일부러 멀리까지 찾아서 영업을 잘 하셨다는 분의 사례나 화법 강의를 들었다고 당장 여러분들의 성과가 달라지지 않습니다. 아무리 그대로 따라 해도 될 사람은 되고, 안될 사람은 안됩니다. 강의 몇 번 듣고 그대로 해서 모든 사람이 다 강사처럼 성과를 내고 성공한다면 누가 영업을 못하겠습니까?

하지만 이 방식은 그대로만 하면 100% 성과를 낼 수 있습니다. 그리고 더 중요한 것은 아무리 세상이 바뀌고, 시장이 바뀌어도 같은 RP를 **평생 반복**만 하면 된다는 것입니다. 이것보다 더 확실한 방법이 있다면 해 보세요.

3. 주의사항

아래와 같이 하시는 순간 본 프로그램의 **사용 목적과 다른 길로 들어서는 것**입니다.

1> 프로그램을 설치하고, 자기 마음대로 이것저것 눌러보지 마세요.

프로그램은 제가 현장에서 20년간 영업하면서 필요했던 모든 것을 15년 동안 개발해서 넣었으므로 정말 많은 콘텐츠들이 들어 있습니다. 하지만 지금 당장 시급한 것은 소득을 높이는 것입니다. BoBi RP부터 숙지하셔서 소득을 최소한 **2배** 이상 끌어 올린후 FiST를 열어보세요.

BoBi에도 여러가지 프로그램과 자료들이 있지만 RP하는데 필요한 화면은 단 **4개** 입니다. 이미 소득이 만족할만한 수준이라 소득을 높이는데 관심이 없으신 분이라면 마음대로 열어 보셔도 됩니다. 이렇게까지 말씀드리는 것은 당신이 프로그램을 제대로 활용하셔서 성공하시길 진심으로 바라기 때문입니다.

2> 출력해서 활용하지 마세요.

출력해서 상담하는 것은 **과거 영업 방식**으로 돌아가는 것입니다. 설계사가 뭔가를 출력해서 가져왔다는 것은 단단히 뭔가를 작정하고 미리 철저히 준비해 온 느낌을 고객에게 줄 수 있습니다. FiST와 BoBi로 상담하는 것은 전문가가 준비 없이 즉석에서 상담해 주는 느낌을 줍니다. 여러분이 고객이라면 보험 1건을 계약하기 위해 철저히 준비해서 각본대로 한 장씩

13

넘겨가며 설명하는 설계사를 선택하시겠습니까? 전문가처럼 보이는 설계사를 선택하시겠습니까?

FiST와 BoBi의 출력물을 고객에게 제공하는 상담은 더 좋지 않습니다. 출력해서 상담했다면 당연히 고객은 그 출력물을 요구할 것입니다. 출력해서 설명했는데 그걸 고객에게 주지 않는다면 고객 입장에서는 그 어떤 이유를 대도 유쾌하지는 않습니다. 고객 입장에서는 뭔가를 손에 쥐여 주는 게 좋습니다. 그렇지만 고객이 좋아한다고 해서 그게 설계사 본인에게도 좋을 거라 착각하시면 안 됩니다.

출력해서 자료를 고객에게 제공하는 순간 상담의 주도권은 고객에게 넘어갑니다. **주도권을 뺏긴 상담은 절대 성공할 수 없습니다.** 그걸 알고도 인쇄해서 제공하는 이유는 딱 하나입니다. 이 프로그램을 고객 앞에서 능숙하게 사용할 수 없기 때문입니다. 또는 노트북이 무거워서 들고 다니기 싫다고 하시는 분도 계십니다. 소득을 2배 이상 높일 수 있다면 노트북 1개가 아니라 10개라도 들고 다닐 수 있지 않을까요? 개발자이자 이 프로그램으로 10년 이상 현장에서 상담해 온 저의 진심 어린 조언은 **"노트북 들고 다니세요."**입니다.

3> 첫 만남에서 고객의 보험을 상담하려 하지 마세요.

RP의 목적은 **계약이 아니라, 보장분석과 소개**입니다. 지금 당장 눈앞에 보이는 1건의 계약이 탐날 수 있습니다. 하지만 조금만 인내하시면 다 건 계약과 소개가 이어질 것입니다. 1차 상담에서 고객의 보험을 구체적으로 상담하게 되면, 보장분석 후, 제안하실 내용과 **충돌**이 일어날 수 있습니다. RP를 하는 1차 상담에서는 BoBi RP만 하시고, 나머지 시간은 신뢰와 친분을 쌓는데만 집중하세요.

4. 필수 숙지사항

제공된 영상은 촬영 시점 기준으로서 **현시점의 RP와는 일부 입력값과 클릭 순서가 다릅니다.** 대본을 그냥 생각 없이 외우지 마시고, 설명된 내용을 잘 이해하면서 RP 연습해 주세요.

RP 하는데 필요한 **모든 정보**는 대본에 100% **전부** 있습니다.

진심으로 부탁드립니다. 질문은 꼭 영상과 대본을 꼼꼼히 보신 후에 해 주세요.

영상과 대본을 잠시만 봐도 알 수 있는 아주 단순한 질문을 받을 때, 가장 기운이 빠집니다.

> 담보별 가입금액과 클릭 순서는 'AP1 □' 가이드에 따를 것
>
> (아래 이미지 내 화살표 표시 부분)

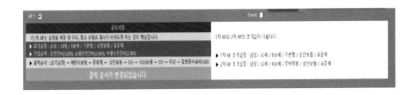

5. BoBi RP의 목적

명심하세요. BoBi RP의 목적은 오늘 상담하기로 한 보험 계약 1건을 클로징 하기 위한 것이 아닙니다.

RP의 목적은 **두 가지**입니다.
1. 리모델링 상담 (증권 확보) → 다 건 계약
2. 소개 확보 (직계 가족)

예정된 상담 일정이 있다면, 차라리 뒤로 미루고 RP 연습 후 만나세요. 보험 1건 계약에서 끝날 만남이, **다 건 계약**으로 이어질 수 있고, **자발적인 소개**로 이어질 확률이 훨씬 더 높아집니다.

계약보다 중요한 것이 소개입니다. 계약만 하고 소개를 받지 못하면, 평생 가망고객을 스스로 발굴하셔야 합니다. 평생 돈 주고 고객 정보를 사셔야 합니다. 둘 중 하나를 선택해야 한다면, 차라리 계약을 포기하고 소개를 선택하셔야 합니다.

RP를 하고 계약을 체결했다고 좋아하실 일이 아닙니다. RP를 하고 소개를 받지 않으셨다면, 못하셨다면 그 상담은 계약을 했다 하더라도 **실패한 상담**입니다.

6. 실전 Tip

[Tip 1]

빨리 계약하는 것보다 더 중요한 것은 **깨지지 않을 계약을 하는 것입니다.** 그래서 최소한 2개로 나누는 복합설계 RP [3차 RP] 까지는 하셔야 합니다.

[Tip 2]

지인 또는 어차피 나와 계약할 고객과 상담 시에는 바껴요 RP [1차 RP]는 생략해도 좋습니다. 그래도 소개를 받아야 하니 **복합설계 RP까지는 꼭 하세요.**

[Tip 3]

고령자 또는 소통이 쉽지 않은 고객과 상담 시에는 바껴요 RP [1차 RP]는 생략하는 게 좋습니다. RP를 해도 알아듣지 못하거나, 건성으로 들을 가능성이 높습니다.

[Tip 4]

실제 계약 시, 복합설계를 3개까지 하지 않으실 분은 2개로 나누는 RP까지만 하세요. 하지만 3개로 나누는 RP까지 할 때 고객의 충성도는 더 높아집니다. 실제로 실전에서 3개까지 나누는 경우는 가입하는 담보가 꽤 많을 때 가능합니다. 그러므로 RP는 3개로 나누는 것까지 모두 하고, 실제 계약은 2건으로만 나눠서 하더라도 이를 자신 있게 설명할 수 있도록 훈련하셔야 합니다. 중요한 것은 1차 상담 시 고객의 마음을 사로잡는 것입니다. 그러므로 RP는 대본에 최대한 충실하게 전체를 다 하는 게 좋습니다.

[Tip 5]

실제 계약 시, 암진단비 담보를 손보사로 계약하실 분은 5차 RP (암진단비 생손보 비교)를 하시면 안 됩니다. RP는 다 해 놓고, 정작 청약 시 암진단비 담보를 손보로 가져가시면 문제가 발생할 수도 있겠죠? 영업을 길게 하시려면 최대한 고객의 입장에서 가장 유리한 설계가 무엇인지 각자가 고민하셔서 최선의 제안을 하시기 바랍니다. 소탐대실(小貪大失) 또는 조금 귀찮다고 대충 하시면 소개, 소개, 소개로 쭉쭉 이어질 인연을 고작 계약 1건으로 마칠 수 있습니다.

이 외에도 어떤 상황에서, 어떤 RP를 할 것인지, 각자가 고민하셔야 더 훌륭한 RP를 할 수 있습니다. RP가 훌륭해질수록, 계약 확률, 소개 확률은 더 올라갑니다. 결국 답은 "얼마나 더 RP를 더 잘할 수 있느냐"입니다. 스스로 생각할 때 **"이제는 RP를 이보다 더 잘할 수 없다."**는 생각이 들 때까지 연습하세요.

<u>저희 프로그램을 만난 당신은 정말 운이 좋습니다.</u> 처음부터 끝까지 Full RP(1~8차)를 다 해도 20분에 불과합니다. **단, 20분만으로 당신도 깜짝 놀랄 만큼 당신의 영업이 드라마틱하게 달라질 겁니다.**

18

7. 초회 상담 절차

1> 명함을 드리고, 간단한 자기소개를 합니다.

- 자기소개는 가장 어필하고 싶은 부분만 가급적 짧고 임팩트 있게 마칩니다.

- 당사에서 진행하는 자격증 과정(가계재무분석사)을 수료한 분은 자격증을 보여드리고 자기를 어필합니다. "저는 주무부처가 금융위원회인 가계재무 자격증을 보유하고 있습니다."

- 설계사 본인의 역량과 가치를 홍보할 수 있는 인쇄물을 제작하여 고객에게 남기고 올 것을 권합니다. "제가 어떤 사람인지, 그리고 고객님께 어떤 도움을 드릴 수 있는 사람인지는 여기 제가 준비한 인쇄물에서 확인하실 수 있으니까요, 오늘 상담을 받아 보시고 제가 고객님의 보험 관리자로 괜찮을 수도 있겠다는 생각이 조금이라도 드신다면 나중에 천천히 살펴봐 주세요."

- 자기소개는 가급적 10분 이내로 짧게 하고, 더 하고 싶은 얘기는 깔끔하게 인쇄물로 남기세요. 그렇게 하시면 고객이 설계사에게 더 관심을 갖게 되고, 상담이 더 고급스러워집니다. 제가 14년간 1천 명을 대상으로 재무 상담을 하면서 직접 경험한 것입니다. 생각보다 고객은 깨알같이 작은 글자로 인쇄된 내용까지 꼼꼼하게 보고 다음 상담 때 얘기하기도 합니다.

- 오늘 상담의 목적은 계약도, 자기소개도 아닙니다. RP를 최대한 잘해서 증권분석과 소개를 이끌어 내는 것입니다.

RP를 잘하셨다면 고객은 자연스레 설계사가 어떤 사람인지 관심을 갖게 됩니다.

2> BoBi RP를 시작합니다.

- 아이스브레이킹을 하면서 노트북을 미리 켜고, 노트북이 켜지는 동안 자기소개를 진행하시면 됩니다.

- 노트북이 켜지면 "고객님께 보여드릴 내용을 잠시만 준비하겠습니다."라고 고객에게 양해를 구하고, BoBi를 로그인해서 "보험료 비교 프로그램" 화면까지 열어 둡니다. 미리 바탕화면에 있는 "가입 금액 입력"도 복사(ctrl+c) 해 둡니다.

- 자기소개를 어느 정도 마치셨으면 바로 RP를 시작합니다. "고객님! 오늘 제가 정~말 중요한 것 하나만 먼저 보여드리고 상담해 드리겠습니다."

8. RP 연습 순서 및 방법

1> 영상을 꼭 순서대로 먼저 보세요.

(BoBi 로그인 → 손해보험 → 교육영상)

기본 사용법 영상 ⇒ 강의 녹화 영상 ⇒ RP 영상(2~3회 반복)

정말 부탁드립니다. 꼭 영상부터 꼼꼼히 보신 후에 질문해 주세요.

2> 대본을 출력해서 보면서 10번 반복해서 정독하세요

- 1차~8차 RP
- 실제로 상담한다는 느낌으로 정독하세요.
- 연필로 숨 쉬는(끊어 읽기) 부분을 표시(/) 하면서 정독 하세요.
- 쉬지 말고 5번 반복, 한번 쉬었다 다시 5번 반복하세 요.

   (며칠 동안 나눠서 하지 마시고, 꼭 하루에 몰아서 하세 요.)

3> 스마트폰을 켜고, 대본을 보면서 자기 목소리로 RP를 녹음하 세요.

4> 프로그램(BoBi)으로 대본을 보면서 RP를 실습하세요. (5회 반 복)

5> 다시 스마트폰을 켜고, 이제는 프로그램(BoBi)으로 실습하면서 RP를 녹음하세요. (대본을 보면서 녹음해도 좋습니다)

RP를 완벽하게 할 수 있게 될 때까지 틈만 나면 계속 반복해서 들으세요.

(차에서도, 이동 중에도 …)

6> 실제 상담 중 기억해야 할 주요 키워드를 단계별로 정리해 보세요.

상담 초기에는 요약본을 출력해서 옆에 두고 살짝 보면서 RP를 하셔도 좋습니다. 'RP 다이어그램' 이미지를 출력해서 갖고 다니셔도 좋습니다. 하지만 본인이 직접 작성한 요약본이 훨씬 더 도움이 되실 거에요

7> 이제 대본을 보지 않고, 또는 요약본만 보면서 연습하세요.

더 이상은 잘할 수 없겠다는 생각이 드실 때까지 끊임없이 연습하세요. 절대 완벽하게 해서 실전에 적용하겠다는 생각은 하지 마시고, 요약본을 보면서 RP를 할 수 있을 정도가 되면 실전 상담에 적용하시고, 연습은 스스로가 생각할 때 완벽해질 때까지 멈추지 말고 계속하세요.

지금 공부하시려는 것은 고작 20분 RP 하나를 외우는 것입니다.

절대 오래 끌지 마시고, 하루 이틀 내에 끝내세요.

9. RP 다이어그램

RP가 자신 있게 될 때까지 오려서 갖고 다니세요. 자기만의 커닝 페이퍼를 만들어서 활용하시면 더 좋습니다.

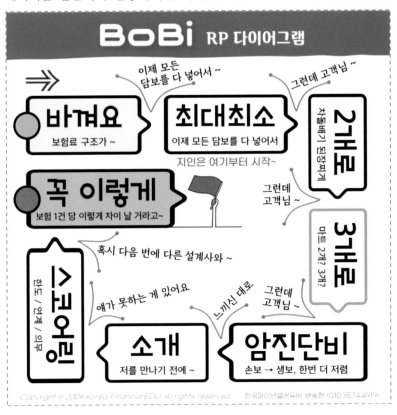

10. RP 대본

무슨 상담을 하건 상관없이 원래 하려던 상담을 하기 전에 이 RP를 먼저 하고,

시작할 때 코멘트는 항상 아래와 같이 똑같이 시작합니다.

"고객님! 오늘 제가 정~말 중요한 것 하나만 먼저 보여드리고 상담해 드리겠습니다."

1> 1차 RP : 바껴요

> **본 RP의 목적**은 보험료가 가장 저렴한 보험사가 계속 바뀌는 것을 보여줌으로써 고객이 가장 저렴하다고 표시되는 보험사 이름에 관심 갖지 않도록 하는 데 있습니다. 가장 저렴한 보험사 이름을 기억해 두었다가 정보만 얻고, 실제 가입은 지인 설계사에게 하는 일을 미연에 차단하기 위함입니다.

RP의 내용보다 100배 더 중요한 것이 RP의 목적입니다. RP의 목적을 정확히 이해하고, 목적에 충실한 RP를 하셔야 목적을 달성할 수 있습니다.

고객님! 제가 지금부터 보험회사별로 보험료 구조가 어떻게 다른지를 보여드리겠습니다. 아마 깜짝 놀라실 거에요.

예를 들어서 30세 남성이구요, 100세 보험에, 기본형에, 성인보험, 표준체라고 가정하겠습니다. (회사 이름 나오도록 체크) 그리고

24

담보는 암진단비 3천만원, 뇌혈관질환진단비 2천만원, 허혈성심장질환진단비 2천만원. 이렇게만 입력하도록 하겠습니다.

* (i1) 버튼을 클릭하지 않고 담보 가입 금액을 하나씩 수동으로 입력하는 것이 더 좋습니다.

<Notice> 컴퓨터의 성능에 따라 (i1) 버튼을 누른 다음 가입 금액이 자동 입력되는데 시간이 오래 걸릴 수도 있습니다. 시간이 오래 걸리지 않더라도 수동으로 입력하는 것이 상담에 더 효과적입니다. 상품 개정으로 (i1) 버튼을 눌렀을 때 자동 입력되는 가입 금액은 바뀔 수 있으며, 바뀔 경우 별도로 공지합니다.

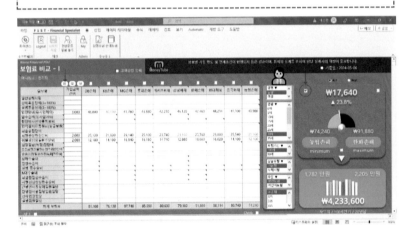

그랬더니 ***사가 가장 저렴하고, ***사가 가장 비싸네요. 월 보험료 차이는 ***원, 그런데 이걸 한 달만 내는 게 아니라, 20년 동안 내기 때문에 총 ***만원의 보험료 차이가 발생합니다. (잠시 한 템포 쉬었다가)

그런데 고객님! 이게 중요한 게 아닙니다. (잠시 한 템포 쉬었다가)

<Notice> 지금부터는 클릭하고 '바꼈죠?'만 반복합니다.
Min 보험사만 바뀌었으면 "가장 저렴한 회사가 바꼈네요."
Min/Max 모두 바뀌었으면 "가장 저렴한 회사와 비싼 회사가 모두 바꼈네요."

- 지금 보고 계신 것은 성인보험 기준이구요, 30세는 어린이보험을 선택할 수 있습니다. 제가 이 비교 조건을 어린이보험으로 바꿔보도록 하겠습니다. 자, 어린이보험 누릅니다. (어린이보험 클릭) 그랬더니 보험료가 가장 저렴한 회사와 비싼 회사가 모두 바꼈죠?

- 지금 보고 계신 것은 여러 가지 보험상품 중 기본형 기준이구요, 보험상품에는 기본형만 있는 게 아니라 무·해·지·형 (또박또박 끊어서)이라는 것도 있습니다. 무해지형은 해지환급률을 낮춘 대신에 보험료를 적게 받는 상품인데요, 제가 이 비교조건을 무해지형으로 바꿔보도록 하겠습니다. (무해지형 클릭) 그랬더니 보험료가 가장 저렴한 회사가 바꼈네요.

- 이번에는 성인보험 무해지형도 볼까요? (성인보험 클릭) 그랬더니 보험료가 가장 저렴한 회사와 비싼 회사가 모두 바꼈죠?

- 지금까지 보여 드린 것은 건강한 분들이 가입하시는 보험이구요. 혹시 최근 몇 년 이내에 병원에 다녀오신 적이 있으시다면 유·병·자(또박또박 끊어서) 보험이란 걸 가입하셔야 하는데요, 만약에 고객님께서 여기에 해당이 되신다면 그건 제가 나중에 자세~히 설명드릴 거구요, (RP중 고객의 질문

26

을 미리 차단하고, 고객이 상담받을 것을 이미 전제로 함),
오늘은 그냥 편안하게 들어 보세요~~.

- 먼저 유병자보험 중에 3·2·5(또박또박 끊어서) 보험이란 게
  있는데요, 325를 한번 눌러보도록 하겠습니다. (325 클릭)
  자, 그랬더니 가장 저렴한 회사가 바꼈네요.

- 이번에는 3·3·5(또박또박 끊어서)로 바꾸고, 나이를 올려
  볼까요? (335, 60세 순시대로 클릭) 그랬더니 보험료가 가장
  저렴한 회사와 비싼 회사가 모두 바꼈네요.

- 이번에는 3·5·5(또박또박 끊어서)를 한번 볼까요? (355 클
  릭) 그랬더니 또 보험료가 가장 저렴한 회사가 바꼈죠?

- 이번에는 모든 조건을 그대로 두고, 성별만 여성으로 바꿔
  볼까요? (여성 클릭) 그랬더니 보험료가 가장 저렴한 회사
  와 비싼 회사가 모~두 바꼈네요.

- 이번에는 마지막으로 담보를 하나 추가해 보겠습니다. (질병
  종수술비 500 입력) 그랬더니 또 보험료가 가장 저렴한
  회사가 바꼈죠?

자, 고객님! 제가 이쪽 비교 조건을 한번 바꿀 때마다 보험료가 가
~장 저렴한 회사와 가~장 비싼 회사가 매~번 바뀌는 것을 보셨
죠? 고객님께서 방금 직접 보신 것처럼 어떤 보험사가 항~상 싸거
나, 어떤 보험사가 항~상 비싼 게 아닙니다.

그래서 저는 제가 만나는 고객이 남성인지, 여성인지, 나이는 몇 살
인지, 어떤 종류의 상품을 가입하실지, 병력이 있는지 없는지, 어떤
담보들을 넣을지, 그리고 그 담보를 얼마를 넣을지에 따라 제가 권
해 드리는 회사는 항~상 바뀝니다.

그래서 혹시 고객님께서 어떤 설계사분을 만났는데, 그분이 "고객님! 지금은 이 회사가 가장 저렴합니다."라고 이렇게 단~순하게 얘기하시는 설계사분을 만나시게 되면 (잠시 한 템포 쉬었다가) 조심하시는 게 좋습니다.

<Notice> 상품 개정으로 클릭 순서가 바뀔 수 있으며, 바뀔 경우 별도로 공지합니다. 단순하게 클릭 순서만 바뀌는 것이므로 매번 RP 대본을 수정해서 제공해 드리지는 않습니다.

2> 2차 RP : 1차원 비교

이번에는 제가 모~든 담보들을 다 넣어서 보여드리겠습니다. (라고 말하고 비교 조건을 초기값(남성, 30세, 100세, **무해지형**, 성인보험, 표준체)으로 변경 → (i2) 버튼 클릭)

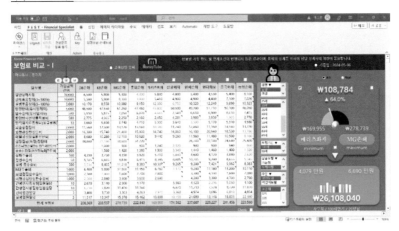

<Notice> 컴퓨터의 성능에 따라 (i2) 버튼을 누른 다음 가입 금액이 자동입력 되는 데 시간이 오래 걸릴 수 있으므로 아래 방법으로 입력하시는 게 좋습니다.

① C:\FiST 폴더 "BoBi 가입금액 입력.txt" 파일을 바탕화면에 바로가기 만드세요.

프로그램을 설치할 때 바탕화면에 바로가기를 만들어 드립니다. 바탕화면에 바로가기가 보이지 않는 분은 다음 페이지에 안내된 절차에 따라 만드시면 됩니다.

② 상담 전에 "BoBi 가입금액 입력" 파일을 열어 가입금액을 미리 복사해 두었다가

③ 싱해사망 가입 금액 칸에 마우스를 한 번 클릭하고, 마우스 오른쪽 버튼을 누르세요.
[복사 → 텍스트만 유지 붙여넣기]

상품 개정으로 (i2) 버튼을 눌렀을 때 자동 입력되는 가입 금액은 바뀔 수 있으며, 바뀔 경우 별도로 공지합니다.

● 아래 설명 이미지 참조하세요.

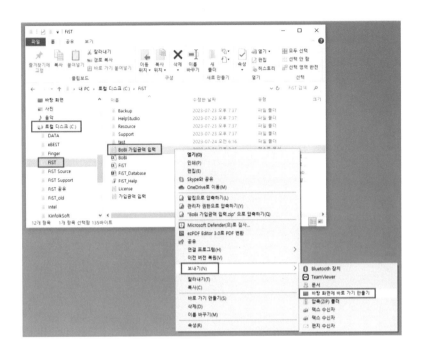

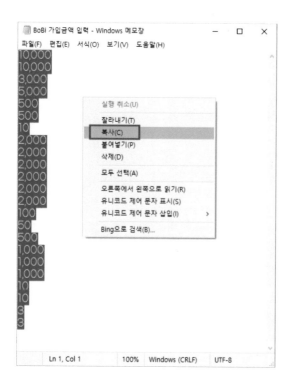

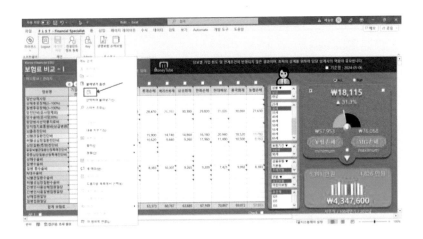

혹시 위 방법으로 붙여넣기가 되지 않는 컴퓨터는 아래와 같이 가입 금액 입력 칸을 모두 선택한 후,

마우스 오른쪽 버튼을 눌러 "텍스트만 유지 붙여넣기" 하세요.

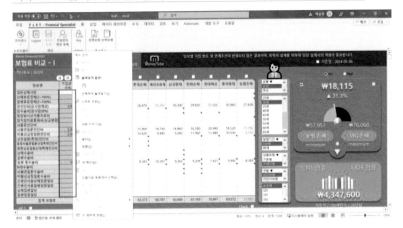

33

이제 보시는 것처럼 모~든 보험료가 채워졌습니다. 그런데 고객님! 잘~ 보시면 중간중간에 비어 있는 게 보이시죠? 비어 있다는 것은 그 회사에, 그 담보가, 없다는 것입니다.

그럼 제가 한 회사라도 없는 담보는 비교 대상에서 빼겠습니다. 자~ 여기 비어 있네요. 애 뺄게요. 딜리트(delete)~. 여기도 뭐가 없네요. 애도 뺄게요. 딜리트(delete)~, 여기도 몇 군데가 없네요. 애도 뺄게요. 딜리트(delete)….

(뺄면서 담보가 없는 회사 이름과 담보 이름은 언급할 필요 없음. 이 회사, 이 담보, 이런 식으로 ~)

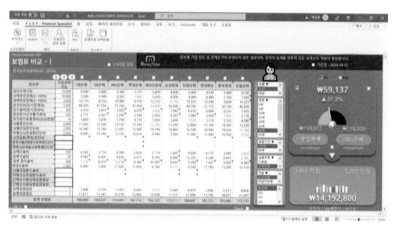

자 이제 빈칸 없이 다~ 채워져 있죠? 그럼 이제 드디어 '공·정·한 가격비교'가 가능해졌습니다.

그랬더니 이번에는 ***사가 가장 저렴하고, ***사가 가장 비싸네요.

고객님! 이제는 아시겠죠? 항~상 이 회사(최저 보험료 회사를 가리키며)가 가~장 저렴하거나, 항상 이 회사(최고 보험료 회사를

34

가리키며)가 가~장 비싼 게 하니라, 어떨 때는 애가(최저 보험료 회사를 가리키며) 이쪽(최고 보험료 회사를 가리키며)으로 오기도 하고, 어떨 때는 애가(최고 보험료 회사를 가리키며) 이쪽(최저 보험료 회사를 가리키며)으로 오기도 합니다.

월 보험료 차이가 ***원, 20년간 무려 ***만원의 보험료 차이가 발생합니다.

고객님! (잠시 한 템포 쉬었다가) 똑같은 보험입니다.(잠시 한 템포 쉬었다가) 메이커만 다릅니다. 그런데 누구는 ***만원을 더 주고 가입하고, 제 고객분들은 이만큼을 덜 내고 가입하고 있는 게 팩트입니다. (잠시 침묵하며 고객이 생각할 시간을 줍니다)

이제, 나이를 좀 올려볼까요? 40세 ***만원, 50세 ***만원, 60세면 얼마나 차이가 날까요? (60세 클릭 후, 잠시 침묵)

연령을 60세로 바꾸면 아래 이미지와 같이 '질병후유장해' 담보가 없는 회사들이 있어 원칙적으로는 질병후유장해 담보의 가입 금액을 빼고 보여 주는 것이 맞습니다. 그러나 매끄러운 RP 진행을 위하여 굳이 그렇게 진행하지는 않습니다.

현실적으로 다음 RP로 넘어가기 전에 고객이 60세의 비교 화면을 보고 있을 시간은 약 20초에 불과합니다. 그래서 표준 RP에서는 굳이 '질병후유장해' 담보를 빼고 보여드리지 않습니다.

만약 고객이 그 20초 동안 내가 하는 다음 RP를 들으면서 이 부분을 발견하여 이의를 제기한다면 당황하지 마시고, **"아~ 그렇네요. 제가 깜빡했네요."**라고 자연스럽게 넘기세요.

그럼에도 불구하고 이렇게 진행하는 방식이 맘에 들지 않는다면 60세에서는 원칙대로 '질병후유장해' 담보를 뺀 차이 금액(3,031

35

만원)을 보여 주시면 됩니다.

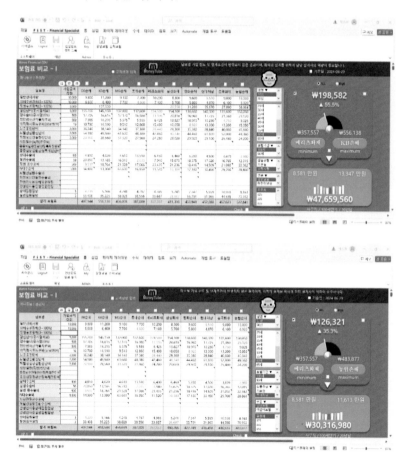

고객님! 보험 한 건으로 이렇게나 큰 차이가 날 거라고 단 한 번이라도(강조) 생각해 보신 적이 있으세요? 그런데 이건 보험 1건 당 얘기구요, 결혼하신 분이라면 한 집 당, 몇 천만원의 보험료를 더 내고 있을 수도 있다는 뜻입니다.

3> 3차 RP : 2차원 비교 (복합설계)

본 RP의 목적은 2개 보험사로 복합설계 하면 납입 보험료 차이가 더 커지고, 그렇게 비교 설계하는 일은 현실적으로 불가능한 일이며, 실제로 그렇게 일하는 설계사가 있을 수 없다는 것을 고객이 인식하도록 하는 데 있습니다.

그런데 고객님! 제 고객분들이 받고 계신 서비스는 여기서 끝나지 않습니다.

(라고 말하면서 **40세**로 일령 변경)

아래 2가지 RP 중 상황에 따라 원하시는 RP 하나면 하시면 됩니다.

고객이 집중하지 못하는 성향이거나, 주변 상품이 어수선하거나, 시간이 부족하면 1번 RP를 하시고, 그렇지 않으면 2번 RP를 하세요.

1> 고객님! 마트를 가서 보시면 모~든 물건이 다 싸지는 않죠? 어떤 건~ 이마트가 싸고, 어떤 건~ 홈플러스가 더 싸고.

2> 고객님께서 저녁식사 준비를 하려는데 가족 분들이 갑자기 차돌박이 된장찌개가 먹고 싶다고 하세요. 그래서 냉장고를 열어서 야채 칸을 열어보니… 아이구 이걸 어째, 하필 감자랑 양파가 없네요. 감자랑 양파가 없는 된장찌개! 생각하기 어렵죠? 그런데 다행히도 고객님 집 주변에 마

트가 2개나 있는 거예요. 그것도 아주 가까이에요. 그래서 고객님께서 얼른 엘리베이터를 타고 1층으로 내려가서 마트에 가보니, A 마트는 감자가 싸고, B 마트는 양파가 싼거에요. 그래서 B 마트에서 양파를 사가지고, 돌아오는 길에 얼~른 A 마트에 들러서 감자를 사서 돌아오시면 장을 제일 싸게 보신 거죠? (그 상황이 머릿속에서 그려지도록 실감 나게)

보험도 마찬가집니다. 어떤 보험회사의 모든 담보가 다 싸거나, 어떤 보험회사의 모든 담보가 다 비싼 게 아니라, 어떤 담보는 애가 싸고, 어떤 담보는 애가 더 싸고 다~ 다릅니다. 그래서 보험도 그렇게 나눠서 가입해 보자는 거예요. 그게 복.합.설.계(또박또박)라고 하는 겁니다.

(손해보험 ▸ AI 복합설계란?)

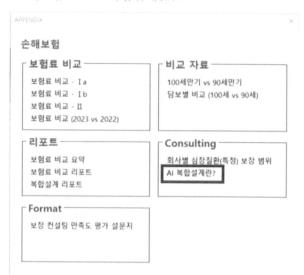

여기 10개 보험회사가 있는데요, 이 10개 보험회사를 두 개, 두 개 두 개씩 조합하면 총 45개의 서로 다른 조합이 나옵니다. 고객님의 보험을 가~장 저렴하게 설계하려면 이렇게 다 설계해 보는 것 밖에는 방법이 없는데요, 만약에 제가 이 엄청난 설계를 수동으로 직접 한다면 시간이 얼마나 걸릴까요? (잠시 한 템포 쉬었다가) 고객님께서는 보험설계를 해 보신 적이 없어서 잘 모르시겠지만, 저는 올해 **년째 보험설계를 하고 있는데요, 여기 45개 조합의 비교설계를 실제로 각 보험사 전산에 들어가서 하려면 지금 제가 하고 있는 모~든 일들을 중단하고, 고객님 보험 한 건에만 매달려서 한 달을 꼬~박 해야 하는 분량의 일입니다. (그 누구도 이렇게 한 사람은 없다는 것을 암시)

그런데 고객님께서 보고 계신 이 프로그램에서는 이미 설계를 다~ 끝내 놨습니다. (Check □ 항목)

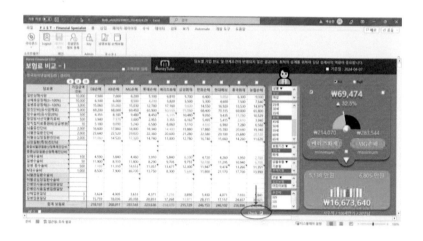

여기 보시면 CASE 1부터 CASE 45까지 두 개 보험사씩 조합해서 설계가 이미 끝나 있구요, 이렇게 합계 보험료를 보실 수 있습니다. 이 45개 조합 중에서 가장 보험료가 저렴한 조합 다섯 개의 설계를 1등부터 5등까지 여기 보여드리고, (RANK-1, 2, 3, 4, 5를 가리킵니다) 가장 보험료가 저렴한 조합이 여기 있습니다. 보험사1에 *** 사, 보험사2에 ***사 (RANK-1 두 개 보험사 선택 입력)

고객님! 여기 보험료가 가~장 비싼 보험사에 가입하신 분이 어딘가는 분명히 계시겠죠? 물론 이 보험사 이름은 항상 바뀌지만요.

그런데 제 고객분들은 항상 가장 저렴한 보험료를 찾아 드리기 때문에 그분보다 ***만원을 적게 내게 해 드리는데, 이걸 또 2개 보험사로 잘 나눠서 설계해 드리면 보시는 것처럼 ***만원이 한 번 더 저렴해집니다.

고객님, 회사 이름은 항상 바뀌지만 이 회사(MAX 보험사 이름을 마우스로 가리키며)에 가입하신 분이 분명히 계시겠죠? 그래서 **대한민국 어딘가는 계실 이 분보다**(MAX 보험사 이름을 마우스로 가리키며) 제 고객분들은 보험 1건 당 ****만원을 적게 내고 계십니다.

고객님! 상상이 되세요? 똑같은(강조) 보험인데… 어떤 설계사를 만나느냐에 따라서 누구는~ ***만원을 더 내고, 누구는~ ***만원을 덜 내게 된다는 것입니다.

* 보험료를 말할 때는 만원 단위까지는 읽어 주세요.

4> 4차 RP : 3차원 비교 (복합설계)

> **본 RP의 목적**은 3개 보험사로 복합설계하면 보험료가 더 싸지고, 그렇게 하는 것은 프로그램이 없이는 현실적으로 불가능한 일이라는 것을 고객이 인식하도록 하는 데 있습니다. 그래서 지금 상담해 주고 있는 이 설계사가 아니면 안 되겠다는 확신을 갖도록 합니다.

그런데 고객님! 제 고객분들이 받고 계신 서비스는 여기서 끝나지 않습니다.

고객님! 고객님 집 주변에 마트가 두 개 있는 게 장을 더 싸게 보실 확률이 높을까요? 아니면 세 개 있는 게 장을 더 싸게 보실 확률이 높을까요? 당연히 세 개겠죠? 보험도 마찬가집니다.

(손해보험 → AI 복합설계란?, 마법사 이미지에 있는 체크박스 클릭하고 아래쪽으로 스크롤)

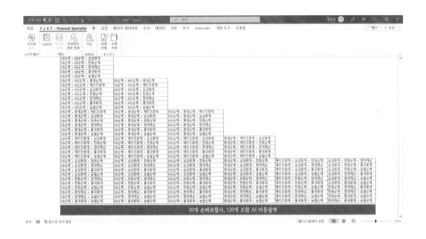

10개 보험사를 이번에는 두 개가 아니라, 세 개씩 조합하면 총 120개의 서로 다른 조합이 만들어집니다.

고객님의 보험을 대한민국에서 가~장 저렴하게 설계해 드리려면 이 방법밖에 없는데요, 만약에 어떤 설계사가 이렇게 해보지도 않고, 고객님께 "이것이 가장 저렴한 보험료입니다."라고 말씀하신다면, 죄송하지만 그 설계사분은 자기도 모르는 사이에 고객님께 거짓말을 하고 있는 셈입니다.

그런데 고객님! 아까 45개 조합을 실제로 설계해서 비교하려면 한 달 정도 걸린다고 말씀드렸잖아요? 그런데 이 120개 조합의 비교 설계를 제가 수동으로 하려면 얼마나 걸릴까요? (잠시 한 템포 쉬었다가)

1년 정도의 시간이 걸리는 일입니다. 이게 무슨 뜻이냐면요, 한 분의 고객에게 대한민국에서 가장 저렴한 보험 계약을 하게 해 드리려면 이 방법 밖에는 없는데, 설계사가 이 한 분의(강조) 고객에게

1년은 온전히 매달려야만 한다는(참고) 뜻입니다.

그런데~~ 그렇게 할 설계사가 대한민국에 단 한 명이라도 있을까요?

만약에 고객님께서 설계사라면 고객님은 그렇게 하실 건가요? (잠시 한 템포 쉬었다가)

그리고 설사 설계사가 이것을 실제로 하겠다고 할지라도 현실적으로 불가능합니다. 왜 인지 아세요? (잠시 한 템포 쉬었다가)

한두 달 동안 열~심히 비교설계를 했는데, 갑자기 어떤 보험사가 보험료를 바꿔 버리면 설계한 모~든 일들이 아~무 쓸모 없어지기 때문입니다. 처음부터 다시 시작해야 하는 거죠. 즉, 보험설계사가 이 프로그램 없이,(참고) 수동으로,(참고) 이 작업을 하는 것은,(참고) 불가능하다는 뜻입니다.

그런데 고객님께서 보고 계신 이 프로그램은 설계사가 1년 동안 작업해도 절대 할 수 없는 분량의 일을 이미 끝내 놨습니다. (minimum, maximum 사이 □ 클릭)

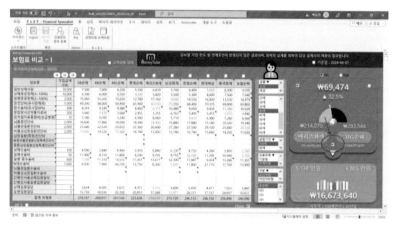

여기 보시면 CASE 1부터 ~~~ (스크롤 **천천히** 위아래로~, 대단히 많다는 느낌을 받을 수 있도록 <u>적당한 속도로 천천히</u> 스크롤 하세요) ~~~ CASE 120까지 세 개 보험사씩 조합해서 설계가 이미 끝나 있구요, 이렇게 합계 보험료를 보실 수 있습니다. 이 120개 조합 중에서 가장 보험료가 저렴한 조합 3개의 설계를 여기 보여드리고, (RANK-1, 2, 3을 가리킵니다) 가장 보험료가 저렴한 조합이 여기 있습니다. 보험사1에 ***사, 보험사2에 ***사, 보험사 3에 ***사 (RANK-1 3개 보험사 선택 입력)

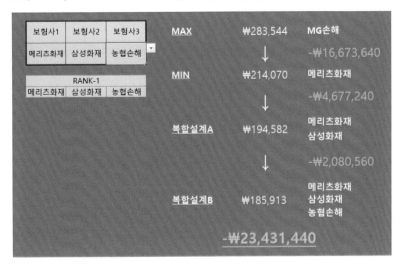

조금 전에 보셨던 두 개 조합보다 세 개로 나눠서 설계하니까 *** 만원이 한 번 더 저렴해져서 **대한민국 어딘가는 계실 이 분보다** 제 고객분들은 보험 한 건당 ****만원을 덜 내고 계십니다. 그러니 제 고객분들이 저를 얼마나 좋아하시겠어요. 그래서 소개도 정~말 많이 해 주십니다.

5> 5차 RP : 암진단비 생손보 비교

> **본 RP의 목적**은 보험료를 줄이기 위한 방법이 다양하고 그 차이가 대단히 크다는 것을 고객이 느끼게 하고, 설계사에 대한 신뢰와 의존도를 높이는 데 있습니다.

그런데 고객님! 제 고객분들이 받고 계신 서비스는 여기서 끝나지 않습니다.

이번에는 제가 아주 간단하게 암진단비 하나만 입력해서 보여 드릴게요.

(암진단비 5천만원, 남성, 40세, 100세, **무해지형**, 성인보험, 표준체로 설정)

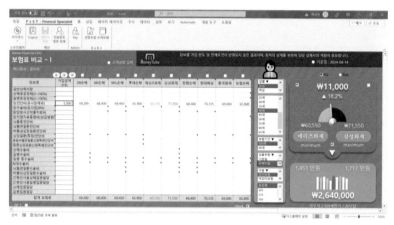

암진단비 하나만 비교했는데 월보험료가 ***원 차이나구요, 20년 동안 ***만원의 차이가 발생합니다.

(여기서는 굳이 다시 "가장 저렴한 회사…, 가장 비싼 회사…"을 반복하실 필요는 없습니다.)

고객님! 진단비 하나만으로도 ***만원을 누구는 더 내고, 제 고객 분들은 덜 내고 계신다는 뜻입니다. 그런데 고객님! 요즘 암진단비 는 손해보험사보다는 생명보험사가 조~금 더 저렴한 경향이 있습 니다.

(생명보험 → 보험료 비교(건강보험), 손보와 같은 조건으로 선택 및 입력)

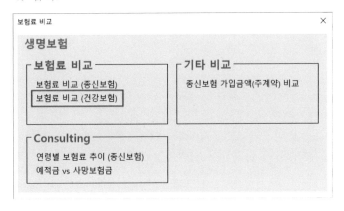

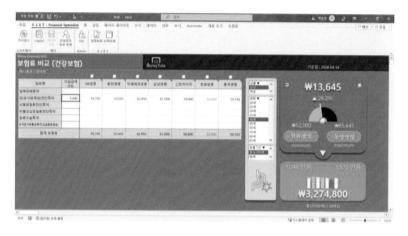

생명보험사 중에서 가장 저렴한 보험료는 ***원입니다. 고객님! 아까 손해보험사 중에서 가장 저렴한 보험료가 얼마였는지 기억하세요?

자 일단 ***원(생보사 minimum 보험료를 가리키며) 기억하세요 ~~ (손해보험 → 보험료 비교 - la 로 돌아와 minimum 보험료를 가리키며) 손해보험사 중에서 가장 저렴한 보험료는 ***원입니다. 여기서 얼마가 더 싸진 거죠? ***원입니다. 그런데 이것도 20년을 내는 것이니 ***만원이 한 번 더 저렴해진 것입니다.

손해보험사 상품 중에서만 가~장 저렴한 회사를 찾아서 가입시켜 드려도 ***만원을 절감해 드릴 수 있는데, 그걸 또 생보사로 가져오니 ***만원이 한 번 더 저렴해져서 암진단비 담보 하나만으로 총 ***만원의 보험료를 적게 내시게 되는 겁니다.

최근에 어떤 고객분께서 저에게 상담받으셨는데 그분은 다른 보험은 모두 충분한데, 암 진단비만 조금 부족했던 거예요. 그래서 저와 상담하게 되셨고 이렇게 계약해 드렸습니다.

고객님! 그 고객분은 어떻게 해서 ***만원을 절감하게 되셨을까요?
(잠시 침묵) 그 고객분은 어쩌다 보니, 정말 운이 좋아서, 저를 만나게 되셨다는 이유 하나만으로 ***만원을 절감하게 되신 겁니다.

6> 6차 RP : 소개 요청

> **모든 RP의 최종 목적**은 소개 확보입니다. 이것을 잊으시면 절대 안 됩니다.

고객님! 오늘 제가, 보험 상품의 현실에 대해서 알려드렸는데 어떠셨어요? 느끼신 대로 간단하게 설문 부탁드릴게요.

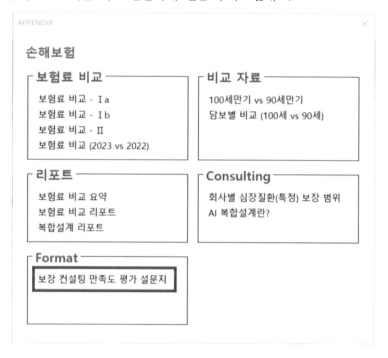

* 소개를 받던, 못 받던 설문지 하루 3장 소진 (1일 활동 목표)

고객님! 오늘 저를 만나시기 전에 보험 한 건당 천만원 이상 차이가 날 수 있다는 것을 단 한 번이라도 생각해 보신 적이 있으셨어요? 고객님께서 정말, 꼭~ 챙겨주고 싶은 가~장 소중한 분 세 분만 소개해 주시면 그분들께 오늘 고객님께 보여드렸던 그대로만 보여드리도록 하겠습니다.

만약 친한 친구분이 갑자기 전화를 해서 "친구야 나 천 만원만 빌려줘, 다음 달 월급날 꼭 갚을게"라고 얘기한다면 고객님께서는 선뜻 빌려주실 수 있으세요? 아마 쉽지 않으실 겁니다. 그분께 천 만원을 드릴 수는 없지만, 그분이 천 만원의 지출을 줄이실 수 있도록 도와드릴 수는 있습니다.

저에게 고객님의 가장 소중하신 세 분을 소개해 주시면, 그분들은 분명히 고객님께 정말 고맙다고 하실 겁니다.

갑자기 모르는 번호로 전화를 받으시면 놀라실 수도 있으니까요, 고객님께서 전화 한 통씩만 해 주세요. 부담 없이 꼭~ 만나 보시라구요. 오늘 고객님께서 보고 느끼신 대로만 그분들께 말씀해 주세요.

일단 만나서 들어보면 깜짝 놀라게 될 거라고 말씀해 주세요.

아래 사진처럼 책자로 만들어서 소개 요청하시면 훨씬 더 효과적입니다. 50매 분량으로 만드세요. 소개 확률이 30% 이상 올라갑니다.

소개를 받고 못 받고는 중요하지 않습니다.

하루에 세 번 "소개해 주세요"를 말하고 설문을 받으세요.

50페이지 책자 한 권은 2주일이면 다 채워질 것입니다.

그렇게 월 2권, 1년이면 24권의 소개 책자가 만들어집니다.

고객님! 이분들이 왜 이렇게 많은 분들을 저에게 소개해 주시겠어요. 제 책상 위에 지금까지 소개받은 이런 책자들이 벌써 **권이 쌓여 있습니다.라고 하시면 고객들은 여러분을 더욱 신뢰하게 될 것입니다.

실제로 이렇게 고객분들이 적어 주신 설문지 책자들이 모이면 그것을 사진으로 찍어서 고객들께 보여드리는 것도 효과적일 겁니다.

* 실제로 책자들이 모이기 전이라도 모인 것처럼 미리 사진을 찍는 방법도 있겠죠 ^^

7> 7차 RP : 스코어링

본 RP의 목적은 세 가지입니다.

첫 번째, 나중에 실제로 계약하게 될 보험사는 바뀔 것이라는 것을 미리 암시합니다. 두 번째, 프로그램 상에서 스코어링이 반영되는 않은 결과와 다른 회사로 계약하게 될 경우, 그 상황을 고객이 사전에 인지하도록 하여 오해가 없도록 하는 데 있습니다. 세 번째, 프로그램의 비교 결과를 토대로 하여 설계사가 해야 할 일들이 훨씬 더 많고 중요하다는 것을 강조하기 위함입니다.

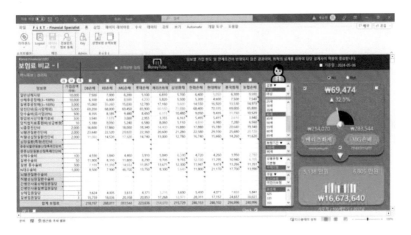

고객님! 이 프로그램은 제가 1년 동안 해도 하지 못할 일들을 순식간에 해 내는 정말 대단한 기능을 제공하는데요, 얘가 못하는 게 세 가지 있습니다. 그게 뭐냐면요, (라고 얘기하면서 (i3) 버튼 클릭)

첫 번째로, '가입한도'라는 게 있는데요, 실제로 보험에 가입하려면 원하는 담보를 맘대로 넣을 수 있는 게 아니라 담보별로 그 한도가 정해져 있고, 그게 회사마다, 상품마다, 다~ 다릅니다. 그런데 이 프로그램은 그걸 체크하지 못합니다.

두 번째로, 담보 간에 '연계조건'이라는 게 있는데요, 실제로 보험에 가입하려면 담보끼리 서로 연결되어 있어서 어떤 담보를 넣으려면 따라서 넣어야 하는 담보가 있고, 어떤 담보를 늘리려면 따라서 늘려줘야 하는 담보들이 있습니다. 그런데 이 프로그램은 그것도 체크하지 못합니다.

세 번째로, '의무담보'라는 게 있는데요, 실제로 보험에 가입하려면 꼭 넣어야만 하는 담보들이 있고 그게 회사마다, 상품마다, 다~ 다릅니다. 그런데 이 프로그램은 그것도 역시 체크하지 못합니다.

정리하자면 이 프로그램은 방금 말씀드린 가입한도, 연계조건, 그리고 의무담보 이 세가지를 하나도 반영하지는 못합니다. 애는 그냥 정~말 정교한 계산기라고 생각하시면 됩니다.

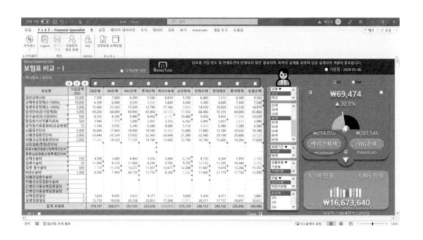

그래서 저는 이 비교 결과를 기초로 해서, 여기 가~장 저렴한 회사부터 순서대로 각 보험사 전산에 직접 들어가서 (가장 저렴한 회사를 마우스 포인터로 가리키고, 그 회사를 제외하는 액션을 4~5번 반복) 이 세 가지 조건들을 모~두 반영했을 때, 실제로 어떤 보험회사가 가~장 저렴한지를 일~일이 다시 찾아봐야 합니다. 하지만 이 모~든 일들도 고객님께 보여드린 이 프로그램이 없으면 시작조차 할 수 없습니다.

그래서 저는 매일 야근을 밥 먹듯이 하고, 주말도 거의 쉬는 날이 없습니다. 왜냐하면 제가 조금만 더 시간을 투자하고 애쓰면, 저를 믿고 계약해 주시는 고객님들께 최~소한 몇 백만원을 절감해 드릴 수 있기 때문입니다.

실제로~, 가족 전체를 진단해 드릴 경우에는 몇 백이 아니라 몇 천만원을 절감해 드리는 경우도 허다하게 많습니다. (최대한 또박또박) (기존 보험증권 화보 목적)

저는 한 분 한 분의 계약을 이렇게 제가 할 수 있는 최선을 다해 설계해 드립니다. 왜냐하면 제가 대충 하면 고객님들께 큰~ 손해를 끼칠 수도 있다는 것을 너무나 잘 알고 있기 때문입니다.

"자, 이제 고객님은 제가 어떻게 도와드릴까요?"

(여기까지 오기 전에 이미 고객은 "제 꺼는 어떻게 하면 좋을까요?"라고 했을 수도 있습니다. 이 단계까지 왔는데 고객이 본인 기가입된 보험의 증권분석을 요청하지 않는 경우, 증권분석 요청을 유도합니다)

8> 8차 RP : 클로징

> **본 RP의 목적**은 다른 설계사와 절대 상담받지 못하도록 사전에 차단하는 데 있습니다. 본 프로그램을 갖고 있지 않는 설계사는 절대로 당신보다 더 좋은 설계를 제공할 수 없고, 당신과 계약하지 않으면 고객은 적지 않은 금액을 손해 볼 가능성이 대단히 높습니다.

고객님! 오늘 보셨죠? 보험료가 가~장 비싼 회사와 가~장 저렴한 회사의 보험료 차이가 생각보다 많이 난다는 것을요.

그리고 이것을 두 개로 나누면 한 번 더 저렴해지고, 세 개로 나누면 누 번 더 저렴해지고, 또 어떤 담보는 생보사로 가져갈 경우, 세 번 더 저렴해지는 것을 보셨죠? 그래서 보험 한 건을 잘못 가입하게 되면, 보험 한 건 당 천 만원 이상을 손해 보실 수도 있습니다.

혹시 다음번에 다른 설계사에게 상담을 받게 되시더라도 오늘 보신 대로 꼭 이렇게 상담해 달라고 요청하세요.

고객님께서 오늘과 같은 상담을, 다른 설계사분께 다시 받게 되실 확률은 1%를 넘지 못합니다. 왜냐하면 이 프로그램의 연간 사용료가 적지 않아서, 고객에 대한 서비스 의지가 없거나, 형편이 넉넉하지 못한 설계사는 사용하기가 쉽지 않거든요.

9> Short RP

본 RP의 목적은 충분한 시간이 주어지지 않는 상황에서 고객이 큰 손해 발생 가능성을 깨닫고, 보다 상세한 상담의 필요성을 느끼도록 하는 데 있습니다.

● 2~4차 RP를 완벽하게 숙지 후, 하셔야 합니다.

* (i3) 버튼을 미리 클릭해서 가입금액이 찍혀 있는 상태에서 RP를 시작합니다. (미리 화면 준비)

고객님, 시간이 많이 없으시니 제가 2~3분 정도만 간단히 보여드리겠습니다. 아마 깜짝 놀라실 거에요. (라고 말하면서 비교 조건을 초기값(남성, 30세, 100세, **무해지형**, 성인보험, 표준체)으로 설정 , 회사이름 나오도록 체크

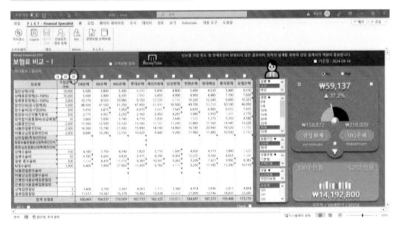

이렇게 비교해 보면, 보험료가 가장 저렴한 회사는 ***원이고, 가장 비싼 회사는 ***원입니다. ***원의 월납 보험료 차이가 발생하구요, 20년 동안 ***만원의 차이가 납니다. 연령을 40세로 바꾸면 ***만원, 50세는 ***만원, 60세는 ***만원의 차액이 발생합니다.

(연령을 **40세**로 바꾸고) 그런데 이것을 가장 저렴한 두 개 회사로 나눠서 설계하면 (Check □ 클릭) ***만원이 한 번 더 저렴해져서 보험료 차이가 최대 ****만원 발생합니다.

이것을 다시 세 개 회사로 잘 설계하면 (minimum, maximum 사이 □ 클릭) 두 개 보험사로 나눠서 설계하는 것보다 ***만원이 한 번 더 저렴해져서 가장 비싼 보험사에 비하여 보험 1건당 총 ***만원을 저렴하게 설계가 됩니다. 제 고객분들은 이렇게 해 드리고 있습니다.

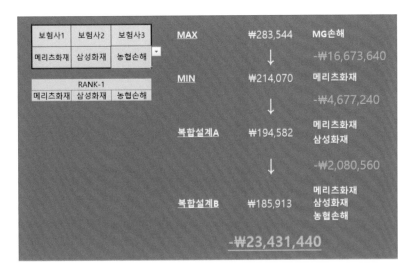

고객님께서 시간을 예약해 주시면 나중에 이런 설계가 어떻게 가능한지 좀 더 자세히 설명드리도록 하겠습니다.

이후 | 10 RP | 보상률 RP는 필요하다고 생각될 때만 하시고, 일반적인 경우에는 하지 않으셔도 됩니다.

10> 보상률

> **본 RP의 목적**은 설계사의 설계 기법이 고객이 만나 봤던 기존의 다른 설계사와 차별화되어 있다는 것을 느끼고, 최종적으로 설계를 의뢰하도록 하는 데 있습니다.

(상품자료 › 보험료비교리포트 page 3)

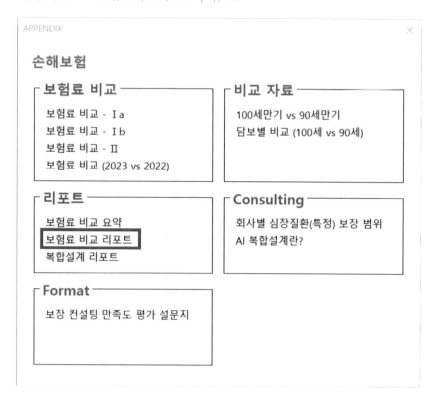

고객님께서 만약에 사고로 돌아가시면 1억원을 드립니다. 월보험료는 ***원이구요, 20년 동안 총 ***만원을 내게 됩니다. 그리고 보상률은 **%입니다.

여기서 보상률이란 것은요, 받게 될 보험금 대비 고객이 낸 보험료입니다. 풀어서 설명드리면요, **%의 보험료를 내고, 사고로 돌아가시게 되면 100%를 받는 겁니다. 상해사망은 고객님이 살아가시면서 겪게 될 가장 참혹한 일입니다. 그런 일이 생겼을 때 **%를 내고 100%를 받는 거죠.

이것이 바로 보험의 본질입니다. 만약 다행스럽게도 사고로 돌아가시지 않고 오~랫동안 가족분들과 행복하게 잘 사시다가 돌아가시게 된다면 **%를 비용으로 지출하고 가시는 거죠.

담보명	가입금액 (만원)	보험료	총납입액 (만원)	보상률 (총납입액/가입금액)	
일반상해사망	10,000	₩6,600	158	1.58%	
상해후유장해(3~100%)	10,000	₩4,100	98	0.98%	
질병후유장해(3~100%)	5,000	₩20,450	491	9.82%	
암진단비(유사암제외)	3,000	₩58,530	1,405	46.8%	
유사암진단비	600	₩1,260	30	5.0%	
암수술비(유사암20%)	500	₩12,600	302	60.5%	0.60회
항암방사선약물치료비	500	₩3,880	93	18.6%	0.19회
표적항암약물허가치료비(갱)	5,000	₩1,650	20	0.4%	
암직접치료입원일당	10	₩9,940	239	2385.6%	23.9일
뇌졸중진단비	3,000	₩37,620	903	30.1%	
뇌혈관질환진단비	1,000	₩15,570	374	37.4%	
급성심근경색증진단비	3,000	₩11,400	274	9.1%	
허혈성심장질환진단비	1,000	₩7,710	185	18.5%	
심장질환(특정)진단비					
상해수술비	100	₩4,870	117	116.9%	1.17회
질병수술비	30	₩5,670	136	453.6%	4.54회
질병 종수술비	500	₩11,790	283	56.6%	0.57회
뇌혈관질환수술비					
허혈성심장질환수술비					
간병인사용상해입원일당(갱)					
간병인사용질병입원일당(갱)					
상해입원일당	3	₩6,906	166	5524.8%	55.2일
질병입원일당	3	₩28,263	678	22610.4%	226.1일

암진단비 3천만원을 받기 위한 월보험료는 ***원입니다. 20년 동안 ***만원을 내게 되구요, 보상률은 **%입니다. **%를 내고 100%를 받는 거죠. 여기 보상률 수치만 보셔서 암 발생 확률이 얼마나 높은지를 아시겠죠?

상해로 수술하시면 100만원 드립니다. 월보험료는 ***원이구요, 총납입액은 ***만원, 보상률은 이번에는 % 가 아니라 ***회입니다. 고객님께서 지금 **세인데 100세까지 **년 동안 상해로 수술을 *.**회 (소수 둘째 자리까지 꼭 말하세요)만 하시면 고객님이 내신 돈은 다 회수가 된다는 뜻입니다. 그 이후로는 수술을 한 번 하실 때마다 100만원씩 남는 겁니다.

마지막으로 질병입원비인데요, 하루에 3만원 드립니다. 월 ***원이구요, 20년 동안 총 ***만원을 내게 됩니다. 보상률은 **.*일(소수 첫째 자리까지 꼭 말하세요)입니다. 평생 질병으로 **.*일을 입원하셔야만 내신 보험료가 회수되는 셈이고, 그 다음 날부터 하루에 *만원씩 남는 겁니다.

저는 제 고객분들께 이런 보상률의 개념을 잘 적용해서 제 고객분들이 100세까지 보험을 절대 깨지 않고 평생 잘 유지하실 수 있는 설계를 해 드리고 있습니다. 고객님께도 그렇게 해 드릴 겁니다.

만약에 고객님께서 보험료에 부담을 느끼신다면 이렇게 보상률 적인 측면에서 효율이 좀 떨어지는 담보들을 줄이거나 빼서 가장 효율적인 상품을 가입하도록 해 드릴 겁니다.

보험료비교컨설팅 사용설명서

발 행 | 2024년 05월 27일

저 자 | 배승현

펴낸이 | 한건희

펴낸곳 | 주식회사 부크크

출판사등록 | 2014.07.15(제2014-16호)

주 소 | 서울특별시 금천구 가산디지털1로 119 SK트윈타워 A동 305호

전 화 | 1670-8316

이메일 | info@bookk.co.kr

ISBN | 979-11-410-8688-6

www.bookk.co.kr